On the Bear's Track Sur la piste de l'ours

Alice Caye

Illustré par Christine Circosta
et Vivilablonde (Bonus)

Alice Caye est française. Elle a vécu plusieurs années en Angleterre. Elle est l'auteure de *Surprise Party* et *Train 2055*, deux romans bilingues pour collégiens parus dans la collection « DUAL Books ».

Alice Caye is French. She has lived in England for several years. She is the author of *Surprise Party* and *Train 2055*, two bilingual novels for high school students published in the DUAL Books series.

Avec la participation de Zoé Bennett

Création graphique : Élodie Breda

Mise en page : Marina Smid

© 2010, Éditions Talents Hauts
ISBN : 978-2-916238-87-6
ISSN : 2102-4960
Loi n° 19-956 du 16 juillet 1949 sur les publications destinées à la jeunesse
Dépôt légal : juin 2010

Une trace dans la boue

– Tu es sûr que c'est une **empreinte**✷ d'ours ?
Les deux hommes, chaussés de hautes bottes, casquettes sur la tête, examinent la **berge**✷ du lac.

– Enfin, Tom ! Je suis un trappeur, je sais reconnaître une empreinte d'ours noir.

– Mais les ours **hibernent**✷ en cette saison !

– Normalement, oui, mais l'hiver est en retard. Certains ours ne dorment pas encore.

Tom et Éric se dirigent vers une maison de bois. Les fenêtres sont allumées. Ils se dépêchent car il fait déjà froid et nuit.

✷ **une empreinte** : une trace de pas ou de patte.
✷ **la berge** : le bord d'une rivière, d'un lac, d'un étang.
✷ **hiberner** : dormir pendant plusieurs mois pendant l'hiver pour certains animaux.

– Samantha ! Éric a vu une trace d'ours dans la forêt, crie Tom, en entrant dans la maison.

– Ciel ! Et juste quand les jeunes arrivent. C'est dangereux ? demande sa femme.

– Non… En général, les ours noirs n'attaquent pas l'homme. En plus, je serai avec les jeunes pendant l'expédition, précise Éric.

– Éric, tu ne crois pas qu'il faut **annuler**❊ la journée en forêt ? La remplacer par une partie de **pêche**❊ ou… je ne sais pas…

– Sam, ils viennent en **Mauricie**❊ pour ça. La nature, la pêche, le canoë, c'est super, mais ce qu'ils veulent surtout c'est partir en forêt avec un vrai trappeur comme Éric, répond Tom.

– Il faut au moins éloigner cet ours du camp, dit Éric. J'irai déposer de la nourriture à Chewaukee Point demain matin. Tu peux passer à Pointe Blanche, Tom ?

– Ça marche toujours ces vieilles méthodes ? Déposer à manger pour attirer les animaux loin des maisons ? demande Samantha.

❊ **annuler** : choisir de ne pas faire quelque chose.
❊ **la pêche** : le sport qui consiste à attraper du poisson.
❊ **la Mauricie** : une région touristique du Québec connue pour ses lacs et ses forêts.

– Bien sûr! On a toujours fait comme ça par ici. On voit bien que tu es une fille de Toronto! Éric aime **se moquer** ✱ des origines de Samantha: elle vient d'une ville du Canada anglophone, alors que Tom et lui sont québécois et parlent français.

– Tu en connais beaucoup, toi, des filles de la ville qui aiment vivre dans une cabane en bois en pleine nature, accessible seulement en bateau et... entourée d'ours?

✱ **se moquer**: rire de quelqu'un ou de quelque chose.

Quiz

1 **Qu'a vu Éric dans la forêt?**
a. Un ours.
b. Une empreinte d'ours.
c. Une maison en bois.

2 **Samantha est**
a. la femme de Tom.
b. la cousine d'Éric.
c. une région du Canada.

3 **Pour éloigner les ours du campement,**
a. Éric dépose de la nourriture en forêt.
b. Éric pose des pièges.
c. Éric fait beaucoup de bruit.

Réponses: 1 b – 2 a – 3 a. Si tu as tout juste, passe au chapitre suivant. Sinon, lis le résumé du chapitre, pages 36-37.

Welcome to Lake Turquoise

"Hello everybody!" says Éric. "Welcome to Lake Turquoise. Sorry but, during this season, our lake is dark brown and not really turquoise."

A girl and two boys get out the boat. Éric continues:

"Ha! You must be Cindy. Hi, I'm Éric. I am responsible for the **outdoor**✪ activities at the camp. And this is Tom. He's a **French Canadian**✪ like me. His wife Samantha is from Toronto, like you. She will help you understand my French. And even my poor English if necessary!"

✪ **outdoor:** outside in nature.
✪ **French Canadian:** from the French-speaking part of Canada (Quebec).

The three of them **burst into laughter**⊗.

As English Canadians, Felix and Cindy do not speak French. And, as a French Canadian, Éric likes to pretend that he does not speak English well.

"I am Felix, Cindy's big brother."

"And I am Julien. I come from Montreal."

"So I can hear. Your English is like mine."

"Welcome to the end of the world, kids!" Tom says. "Here, there is no road, no television, no internet. Just the **wild**⊗! But, as you'll see tomorrow, nature is beautiful around here. And you will have the chance to spend the week with the best trapper in Quebec, Mr Éric."

"Thank you, Tom," Éric answers. "Tom is the best **cook**⊗ in the Lake Turquoise area."

"And here is Samantha, my wife," Tom says. "She is a **fishing**⊗ champion, for those who like that activity."

"I do!" Julien answers. "Where can we fish?"

"Anywhere," Samantha replies. "There are a lot of fish in the lake!"

⊗ **to burst into laughter**: to laugh spontaneously.
⊗ **the wild**: nature where not many human beings go.
⊗ **a cook**: a person who prepares the meals.
⊗ **to fish**: to catch or trap fish with a line or net.

"After two days, most visitors are **fed up** * with fishing. Catching something is too easy around here!" Tom adds.

"That's true. Just don't leave the fish anywhere," Éric says.

"Why?"

"It attracts bears."

---

* **to be fed up**: to have enough of something.

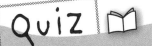

Quiz

1 **Felix and Cindy are French Canadians.**
  a. True
  b. False

2 **Why doesn't Éric speak English very well?**
  a. Because he does not have a lot of education.
  b. Because he is from Quebec.

3 **Why is fishing easy in Lake Turquoise?**
  a. Because fish are numerous.
  b. Because of bears.
  c. Because Samantha is a champion.

Answers: 1 b – 2 b – 3 a. If all your answers are correct, go to the next chapter. If not, read the summary of the chapter, pages 36-37.

Chapitre 3

Veille d'expédition

– C'est vrai que tu es un bon **cuisinier**※, Tom. J'ai repris deux fois de l'**orignal**※. C'était délicieux. Je n'en avais jamais mangé.

– Merci Julien. C'est ma spécialité.

– C'est meilleur que la poutine! se moque Samantha.

– Tu as raison, dit Julien.

– Qu'est-ce que vous dites? Je ne comprends pas, demande Felix à Samantha.

– Je ne sais pas si je dois traduire ça..., dit Samantha. Nous parlons de la poutine, un plat typique du Québec à base de frites et de fromage. Les Canadiens n'aiment pas ça!

– Tu sais, je ne connais personne qui aime la poutine, même au Québec, répond Julien.

※ **un cuisinier** : une personne qui prépare les repas.
※ **un orignal** : élan du Canada.

Tom revient de la cuisine avec un paquet de bonbons dans les mains.

– Il fait trop froid pour un **feu de camp**✸, mais on peut toujours faire griller des marshmallows dans la cheminée. Ça vous tente ?

Des cris d'enthousiasme servent de réponse. Tous se regroupent devant la cheminée. Il y a des tapis indiens colorés sur les murs et des têtes d'animaux morts, et aussi un ours noir **empaillé**✸.

– Tu as chassé tous ces animaux, Éric ? demande Julien.

– Non, les trappeurs ne chassent pas. Nous posons des **pièges**✸ dans la nature et attendons que les animaux tombent dedans.

– Cindy trouve que c'est encore plus cruel, traduit Samantha.

– Je vous montrerai demain. Les pièges n'**abîment**✸ pas les animaux et ne leur **font** pas **mal**✸.

– Et lui, là-bas, au fond ? Je suis sûr que tu ne l'as pas pris au piège ! dit Julien en montrant l'ours empaillé.

✸ **un feu de camp** : un feu que l'on fait à l'extérieur.
✸ **empaillé** : un animal mort que l'on a rempli de paille pour le conserver.
✸ **un piège** : un mécanisme destiné à attraper les animaux.
✸ **abîmer** : endommager, casser, blesser.
✸ **faire mal** : causer de la douleur.

– Non, répond Éric, un peu hésitant. C'est un ours noir que j'ai tué avec un **fusil**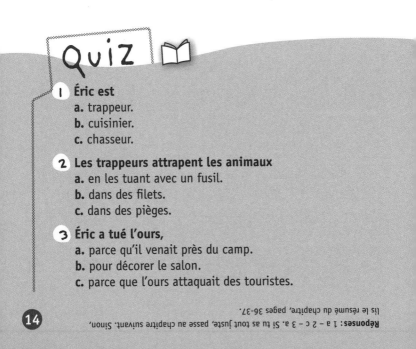, en effet.

Les trois jeunes se regardent en silence.

– Quand les ours viennent trop près du camp, il faut se protéger. Mais c'était il y a plusieurs années. Maintenant les ours sont rares dans la région.

Tom propose une brochette de bonbons :

– Qui prendra le premier marshmallow grillé ? Attention, ça brûle autour et ça fond dedans.

❉ **un fusil** : une arme à feu utilisée notamment par les chasseurs.

Quiz

1 **Éric est**
  a. trappeur.
  b. cuisinier.
  c. chasseur.

2 **Les trappeurs attrapent les animaux**
  a. en les tuant avec un fusil.
  b. dans des filets.
  c. dans des pièges.

3 **Éric a tué l'ours,**
  a. parce qu'il venait près du camp.
  b. pour décorer le salon.
  c. parce que l'ours attaquait des touristes.

Réponses : 1 a – 2 c – 3 a. Si tu as tout juste, passe au chapitre suivant. Sinon, lis le résumé du chapitre, pages 36-37.

Chapter 4

Canoeing on the Lake

The pale sun is just appearing when Éric comes out of the house. He looks anxiously at the woodland on the other side of the lake. To him, the lake always looks majestic, with the high trees reflected on the water. He can hear the far cry of a loon, his favourite duck, typical of the Mauricie region, and feels better.

Samantha joins him.

"How will we organize the canoes?" she asks.

"I'll go with Julien and you'll take Felix and Cindy with you," Éric answers. "It only takes twenty minutes. And the current is not strong."

"I know. It's after that **worries** ✪ me. In the woods. Don't you want me to come with you?

✪ **to worry**: to make someone anxious.

15

I don't want you to face a bear alone with three children!"

"Don't worry, Sam. I'll **manage**✪. Just help me take them to the other side of the lake then go back as usual."

The three **youngsters**✪ come out, carrying huge bags.

"Hi! Did you sleep well?" Éric asks. "What do you have in these bags? It's only a one-day expedition, you know. You don't need to take a house with you!"

"Well, Felix wants to bring his camera and his walking stick," Cindy answers.

"And SHE wants her **repellent**✪, a box of biscuits, a set of walkie-talkies that never work, and..."

"I'll leave it here, then!" Cindy cries, and she throws the walkie-talkie she has in her hand into Julien's canoe.

"Hush, kids! In the wild, you must not **argue**✪. You need all your energy. Don't use it fighting each other."

✪ **to manage**: to be organised and succeed.
✪ **youngsters**: young people, youths.
✪ **repellent**: a product that keeps insects away.
✪ **to argue**: to quarrel.

"Will you be able **to row**✪ together?" Samantha asks.

In fact, as soon as they are in the canoe, the brother and sister concentrate on their rowing. The lake is so quiet at this early hour that even speaking seems incongruous. The only noises you can hear are the cries of the birds and the "shlashh" of the **oars**✪ entering the water.

✪ **to row**: to make a boat move through the water with an oar.

✪ **an oar**: a long piece of wood that is used to move a boat through the water.

QuIz

1 Samantha is here
   a. because she is going fishing.
   b. to help them cross the lake.
   c. to protect them from the bears.

2 What did Felix take with him?
   a. A gun.
   b. Mosquito repellent.
   c. A walking stick.

3 They cross the lake on a motor boat.
   a. True
   b. False

Answers: 1 b – **2** c – **3** b (They cross the lake on canoe). If all your answers are correct, go to the next chapter. If not, read the summary of the chapter, pages 36-37.

Chapitre 5

Un bon trappeur

Felix et Cindy arrivent sur la berge et suivent Éric et Julien dans la forêt de sapins. Samantha repart dans le canoë. Elle reviendra les chercher ce soir.

Dans la forêt, Éric commence ses explications. Il n'y a pas de temps à perdre : les journées sont courtes et il a beaucoup de choses à leur montrer.

– Voici le premier piège. L'animal entre par là pour manger l'appât, la nourriture que j'ai déposée pour l'attirer. Une fois qu'il est entré, la porte se referme sur son cou, très rapidement, et le tue.

Cindy et Felix poussent un petit cri. Julien hoche la tête.

– Il n'a pas mal?

– Non, il meurt immédiatement. Ce n'est pas comme avec un fusil. Avec un fusil, l'animal peut être seulement blessé. Il peut s'enfuir, échapper au chasseur, mais aussi beaucoup **souffrir**✪.

– En plus, le piège laisse la **fourrure**✪ intacte, ajoute Julien, passionné par le sujet.

– Avant, les trappeurs **gagnaient leur vie**✪ en vendant les fourrures. Maintenant, nous devons faire les guides de tourisme pour des jeunes comme vous car la vente des fourrures n'est pas suffisante, continue Éric en souriant.

En chemin, Éric regarde ses pièges. Presque tous sont vides. C'est normal car ce n'est que le début de la saison pour les trappeurs.

– Pour être un bon trappeur, il faut avoir trois qualités: **avoir l'œil**✪, avoir de la chance et être courageux, dit Éric.

Felix et Cindy se regardent en souriant: Éric pense qu'il est un bon trappeur mais il n'est pas modeste!

✪ **souffrir**: avoir mal, ressentir de la douleur.
✪ **la fourrure**: le poil des animaux.
✪ **gagner sa vie**: avoir de l'argent grâce à son travail.
✪ **avoir l'œil**: savoir observer avec attention.

Soudain, Éric s'arrête, pousse quelques feuilles du pied, observe le sol.

– Attendez-moi ici un moment, dit-il aux trois jeunes.

Et il disparaît, le regard fixé au sol. Les trois jeunes n'ont pas le temps de dire un mot.

– Je crois que notre trappeur est sur une piste, dit Julien calmement.

Quiz

1 **Un animal est dans le piège.**
a. Vrai
b. Faux

2 **Les trappeurs gagnent leur vie** *(2 réponses)*
a. grâce à la chasse.
b. en vendant des fourrures.
c. en guidant les touristes.

3 **Éric part**
a. parce qu'il est fâché.
b. pour suivre une trace.
c. pour chercher à manger.

Réponses : 1 b – 2 b/c – 3 b. Si tu as tout juste, passe au chapitre suivant. Sinon, lis le résumé du chapitre, pages 36-37.

Chapter 6

Looking
for Beavers

"You're right, Julien. Éric is following a track...
Perhaps a bear's track? I really want to see a
live animal!" Cindy says.

"Yes! Do you want to follow him?" Felix replies.

"No, he says we must stay here," Julien answers.

"I can't wait," Felix says. "Look! Do you see the
pile of wood over there on the river? Sam says
that there are **beavers**✲ in this area."

"OK, let's go and see while Éric is away," Cindy
says.

"I will wait for him," Julien says.

✲ **a beaver:** a fur-coated animal with strong teeth; it lives by rivers
where it builds dams.

Felix and Cindy walk silently to the bank of the river. Huge piles of branches prove that "someone" has tried to build something.

They remember from Tom's explanations: when beavers see you, they hit the water **once** ✪ with their **tail** ✪ to **warn** ✪ the others. When you hear that noise, you know you are close to them. If you hear it **twice** ✪, it's too late: they disappear before you can see them.

All of a sudden, they hear a huge noise.

"Bang!"

"Beavers!" Cindy murmurs.

They stop where they are and look at the river. There, they can see the male beaver who just made the noise. And, all around him, three or four families swimming rapidly to their **shelter** ✪.

Felix and Cindy stop **breathing** ✪. They know that it's a rare privilege to see so many beavers in the wild.

✪ **once**: one time.
✪ **a tail**: the part of an animal that comes out from the back of its body.
✪ **to warn**: to tell someone there is danger.
✪ **twice**: two times.
✪ **a shelter**: a place where you are protected.
✪ **to breathe**: to inhale and expel air.

After a moment, the animals seem less panicked. They come out and start living again. They pull branches to the **dam** 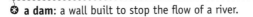. They cut big trunks. The river changes direction in only a few minutes.

Felix takes lots of pictures and Cindy puts some repellent on her skin. She's very happy to have it with her: there are a lot of mosquitoes by the river.

"Let's go! Éric and Julien are waiting for us," Felix whispers.

---

 a dam: a wall built to stop the flow of a river.

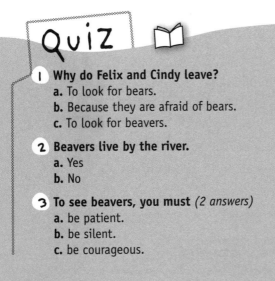

Quiz

1 **Why do Felix and Cindy leave?**
a. To look for bears.
b. Because they are afraid of bears.
c. To look for beavers.

2 **Beavers live by the river.**
a. Yes
b. No

3 **To see beavers, you must** *(2 answers)*
a. be patient.
b. be silent.
c. be courageous.

Answers: 1 c – 2 a – 3 a/b. If all your answers are correct, go to the next chapter. If not, read the summary of the chapter, pages 36-37.

Des traces inquiétantes

« Mais où est Éric ? Sur la piste d'un ours ? Normalement, les ours dorment en cette saison », pense Julien, excité et **inquiet**✱. « Et Felix et Cindy ? Ils ne reviennent pas. Je pars pour les trouver. »

Julien arrive à la rivière.

« Ils sont passés par là ! Il y a des herbes écrasées. Et les branches sur la rivière : c'est un **barrage**✱ de **castors**✱ ! Felix avait raison. Ils sont restés immobiles et silencieux pour les observer. Mais où sont-ils maintenant ? »

✱ **inquiet** : préoccupé, soucieux.
✱ **un barrage** : un mur qui sert à arrêter le cours d'une rivière.
✱ **un castor** : un animal à fourrure, aux dents puissantes, qui vit au bord des rivières où il construit des barrages.

Julien s'arrête soudain pour examiner une marque sur le sol. Pas de doute : la patte large, les cinq doigts, les **griffes**❂ longues de deux centimètres. Julien a bien préparé son expédition en Mauricie : il sait reconnaître une empreinte d'ours noir.

« Un ours est passé par ici ! Et là, ces traces de pas sont sûrement celles de Felix et Cindy. Leurs pas vont dans la même direction que ceux de l'ours... Il faut que je les retrouve, vite ! » Julien suit la piste. De temps en temps, il voit une autre empreinte d'ours. Et les pas de ses amis. Son cœur bat à toute vitesse.

Soudain, il a une idée : le talkie walkie de Cindy ! Il l'a ramassé au fond du canoë avant de quitter le lac ce matin. « J'espère qu'il marche ! » L'appareil **grésille**❂ et émet quelques petits bruits.

– Cindy ! Felix ! Répondez-moi. C'est Julien ! Faites attention, il y a un ours noir par ici ! Répondez, je vous en prie ! Hello ? Hello ? Pleeaaase!

❂ **une griffe** : l'ongle d'un animal.
❂ **grésiller** : produire des petits bruits secs.

En réponse, Julien entend enfin des bruits de papier et les voix de ses deux amis qui chuchotent en anglais. Puis, horrifié, il entend un grognement : « Grrrrrr... »

Quiz

1 **Julien part à la recherche**
   a. d'Éric.
   b. de Felix et Cindy.
   c. des castors.

2 **Que voit-il près de la rivière ?**
   a. Une empreinte d'ours.
   b. Une empreinte de castor.
   c. Le talkie walkie de Cindy.

3 **Julien utilise le talkie walkie pour appeler**
   a. des secours.
   b. Samantha.
   c. Felix et Cindy.

Réponses : 1 b – 2 a – 3 c. Si tu as tout juste, passe au chapitre suivant. Sinon, lis le résumé du chapitre, pages 36-37.

Chapter 8

The Bears' Cave

Felix and Cindy cannot believe their eyes. Near the river, they find the entrance to a **cave** ✲. A huge black form is lying there. And, beside it, another smaller form. A female bear and her young! The female seems deeply asleep but the young one is starting to move.

"Felix! Look! The baby is moving."

"It's a *big* baby..."

The bear **snorts** ✲ and starts turning towards them. Felix takes his walking stick, ready to fight the animal. Cindy prepares to use her mosquito repellent as a **tear gas spray** ✲.

They stand motionless during seconds which seem like hours. Then, very slowly, Cindy takes

✲ **a cave**: a large hole in the side of a mountain or a hill.
✲ **to snort**: to make an aggressive noise for an animal.
✲ **a tear gas spray**: a defensive aerosol that makes eyes water so that you can't see.

her box of biscuits out of her bag. The bear smells it, turns his sleepy eyes towards Cindy and seizes the box. He eats all the biscuits, box included. Then, he turns to his mother and goes back to sleep.

"Pfff..." the two sigh.

Julien finally arrives at the cave: Felix is taking pictures of two sleeping black bears – without flash – and Cindy is trying to make the walkie-talkie she has kept in her bag work.

"Here you are at last!" he whispers, and then, seeing the two animals, "Wow, bears!"

When they get back to the lake, Samantha is there waiting anxiously for them. They tell her their adventure. They are very excited but Samantha is furious when she hears that Éric lost them and that they didn't **stay put** ✪.

"I was worried when I saw the **footprints** ✪," Julien says.

"You have **sharp eyes** ✪!" Samantha answers.

"I'm glad we have our weapons!" Felix adds, showing the walking stick and the repellent.

✪ **to stay put**: to remain in a place and not try to move from it.
✪ **a footprint**: a mark made by a foot in the ground.
✪ **to have sharp eyes**: to have a good sense of observation.

33

"I doubt that you can kill a bear with that!" Samantha laughs. "You were very lucky: a bear can be very dangerous."

"It was a good idea to give the baby my biscuits," Cindy says.

"Yes and it was very brave!" Samantha replies.

"Do you remember what Éric said this morning?" Julien asks. "I have sharp eyes, Felix is lucky and Cindy is brave. You know, with that combination, together WE can make a great trapper!"

Quiz

1 **What do Felix and Cindy find?**
a. Éric.
b. Bears.
c. Beavers.

2 **What objects do they use to protect themselves?** *(2 answers)*
a. Mosquito repellent.
b. Biscuits.
c. A gun.
d. A walking stick.

3 **A good trapper must be:**
a. rich, cool and cute.
b. lucky, courageous and have good eye-sight.
c. tall, quick and funny.

Answers: 1 b – 2 a/d – 3 b. If all your answers are correct, congratulations! If not, read the summary of the chapter, pages 36-37.

Résumés
Summaries

Chapitre 1

Éric est trappeur en Mauricie, une région du Québec. Avec Tom et sa femme Samantha, ils attendent l'arrivée d'un groupe de jeunes vacanciers. Mais Éric a découvert une trace d'ours près du lac. Il faut chasser l'animal loin du camp.

Chapter 2

The youths arrive at the camp by boat: Cindy and her brother Felix come from Toronto, Julien from Montreal. Julien likes fishing very much. But Éric tells him not to attract bears with his fish.

Chapitre 3

Les adolescents apprécient le bon repas préparé par Tom. Ils font griller des marshmallows dans la cheminée. Éric explique que les trappeurs ne tuent pas les animaux avec des armes à feu mais avec des pièges. Mais il a tiré sur un ours près du camp il y a quelques années.

Chapter 4

Éric and Sam and the three youths are going to cross the lake on canoes. Sam is preoccupied by the bear in the woods. Felix and Cindy take a lot of things with them for the expedition: a camera, a walking stick, a spray against mosquitoes, biscuits, walkie-talkies.

Chapitre 5

Dans les bois, Éric explique qu'un bon trappeur doit bien voir, être intelligent et brave. Il pose des pièges contenant de la nourriture et revient plusieurs semaines après. Éric observe le sol et part rapidement : pour suivre une piste ?

Chapter 6

As Éric is away, Felix and Cindy go looking for beavers. And indeed they find some. They spend a lot of time watching them.

Chapitre 7

Julien part à la recherche de Felix et Cindy. Près de la rivière, il trouve leurs traces de pas et une empreinte d'ours ! Il essaie de les appeler avec le talkie walkie de Cindy. C'est un cri d'animal sauvage qui lui répond.

Chapter 8

Felix and Cindy find the cave of two bears. They get ready to use Felix's stick and Cindy's repellent to defend themselves. But Cindy has a better idea: she gives biscuits to the baby bear who eats and goes back to sleep. Back at the river, they find Samantha who is very worried.

Plein air au Québec
Outdoors in Quebec

Amuse-toi avec Mélie et Mellow

Play with Mélie and Mellow

Les Québécois savent tirer parti de la nature en toute saison. Relie chaque activité à son élément.

In Quebec, people take advantage of nature all year long. Link each activity to its element.

Snow

A

Ice

B

Water

C

Le canoë

Le hockey sur glace

Le kayak

Le patinage

Le ski de fond

Les raquettes

Solutions: A 5 – 6 ; B 2 – 4 ; C 1 – 3

Les animaux cachés
Hidden Animals

C	F	I
C	A	S
F	N	N
C	I	L
S	H	O
M	O	O

Mélie et Mellow sont de vrais trappeurs. Aide-les à trouver les animaux cachés dans la grille.

Mélie and Mellow are real trappers. Help them find the animals hidden in the grid.

S	H	N
T	O	R
O	R	S
A	N	E
U	R	S
S	E	D

Solutions : fish / castor / ours / moose / canard / loon

Amuse-toi avec Mélie et Mellow

Play with Mélie and Mellow

Le savais-tu?
Did you know?

L'ours noir

L'ours noir n'est pas noir mais plutôt brun foncé, roux ou gris. Il est assez petit (1 mètre aux épaules). Pendant trois à sept mois en hiver, il ne mange pas et vit sur ses réserves de graisse, mais il ne dort pas complètement et peut répondre à une attaque. L'ours noir est omnivore. Il n'attaque pas l'homme.

Native people

Some ten nations of Amerindians live in Quebec, representing about 70 000 inhabitants. They come from three big families of native people: the Algonquins, the Iroquois and the Inuktituts. They have permits to hunt on their ancestral territories, which stops the trappers from hunting there.

Les lacs de Mauricie

La Mauricie s'étend des rives du fleuve Saint-Laurent jusqu'à la frontière boréale. On y dénombre plus de 17 000 lacs. Chacun porte un nom, souvent évocateur et parfois franchement drôle.

Quelques exemples: Lac Blanc, Lac à l'Eau claire, Lac Caillou, Lac Vipère, Lac Culotte, Lac Crétin, Lac J'en-peux-plus, Lac Maskinongé (gros brochet en algonquin), Lac Sacacomie (une espèce de tabac amérindien), Lac de la Tuque (une espèce de bonnet en québécois), Lac à la Tortue, etc.

Fourche-Langue
Tongue Twisters

Répète ces phrases de plus en plus vite !
Repeat these sentences faster and faster!

The big black bug bit the big black bear, but the big black bear bit the big black bug back!

Un chasseur sachant chasser doit savoir chasser sans son chien.

Table des matières
Table of contents

Bonus

Dans la même collection

My New Life - Ma nouvelle vie,
Corinne Laven

The Lake Monster - Le monstre du lac,
Jeannette Ward

The Mysterious Safe - Le secret du coffre,
Nathalie Chalmers

The Football Shirt - Le maillot de foot,
Sharon Santoni

Jazz for the President - Jazz pour le président,
Claire Davy-Galix

A Night in the Refuge - Une nuit au refuge,
Sharon Santoni

The Celtic Crosses - Les croix celtiques,
Caroline Miller

Connaissez-vous la collection « DUAL Books » ?
(à partir de deux ans d'apprentissage de la langue)
Retrouvez l'ensemble des titres sur le site
www.talentshauts.fr

Achevé d'imprimer sur les presses de l'Imprimerie GRAPHO 12
12200 Villefranche-de-Rouergue
N° impression 2010050083-1
Imprimé en France